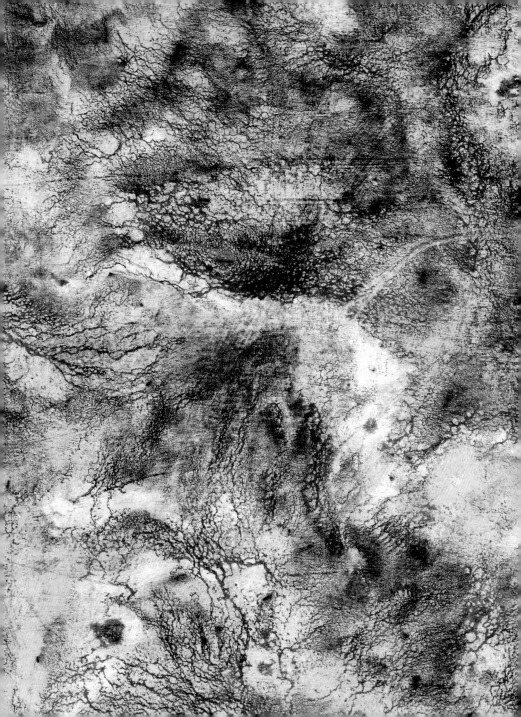

Le luthier de Venise

Un conte de Claude Clément
Illustré par Frédéric Clément

Pastel
lutin poche de l'école des loisirs
11, rue de Sèvres, Paris 6e

Na pianta xera Crema in mezo al zardin

Il y avait dans une ruelle de Venise une boutique de luthier,
dont une porte s'ouvrait sur un canal très animé
et l'autre sur un jardin tranquille, à peine plus grand qu'un tapis déployé.
Au milieu de ce jardin, un arbre avait poussé.
Il était si haut et si large qu'il prenait presque toute la place.

L'artesan amava vardar sto alloro

Quand il cessait de modeler le bois de ses instruments,
l'artisan aimait à contempler cet arbre.
Ses branches se balançaient dans la brise surgie du fond de la lagune.
Des kyrielles d'hirondelles, de moineaux et de tourterelles venaient se poser
sur elles. Il s'élevait alors du jardin une musique plus ensorcelante
que celle qui enchantait les bals et les théâtres de Venise.

Un Inverno, pero, l'albow se morto

Un hiver pourtant, l'arbre mourut.
Sans doute avait-il atteint le bout de son âge.
Le luthier ne s'en aperçut pas tout de suite.
Mais quand revint la belle saison, l'arbre ne se couvrit plus de feuilles,
ses branches demeurèrent immobiles et les oiseaux
oublièrent de s'y poser.

Tante piòve xe pasae soto i ponti de Venezia

Attristé, le luthier fit venir quelques bûcherons qui abattirent l'arbre
en prenant grand soin de ne pas abîmer le tout petit jardin.
Le tronc fut ébranché, débité en tronçons et fendu à la hache
dans le sens de la fibre.
Puis le luthier ordonna que l'on mît le bois
dans un coin retiré de sa propre maison.

Les années passèrent …
Bien des pluies s'écoulèrent sous les ponts de Venise.
Bien des copeaux de bois s'amoncelèrent sous l'établi du luthier,
dont les cheveux et la barbe s'étaient mis à grisonner.
L'artisan ne sortait plus de sa boutique, ni de son jardin que pour aller
se procurer l'essence de térébenthine, la sandaraque, l'huile d'aspic et la résine
de sang-dragon qui lui servaient à composer le vernis de ses instruments.
Les plus grands musiciens du monde venaient un à un acheter ses violons et
ses violoncelles, qui, nullepart, n'avaient leurs pareils.

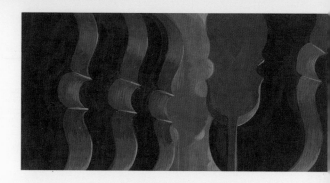

Lu el g a deciso de far el più perfeto dei violoncelli

Un jour, le vieil homme se rendit à l'endroit de sa maison
où il avait mis à sécher le bois de l'arbre dont il regrettait la verdure et la mélod
Il le trouva vieilli à point. Il décida en un vertige de fabriquer,
en souvenir de ce compagnon, le plus parfait des violoncelles qui fût jamais so
de ses doigts de luthier.
L'ouvrage dura bien des saisons. L'artisan, de ses mains, palpa, polit et lima
jusqu'à la plus infime rugosité du bois de son instrument, qui, une année,
fut achevé à l'aube du grand carnaval.

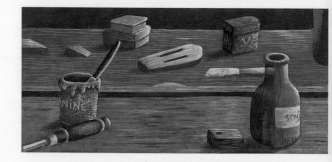

Dele Orchestre passava su le piazze

Dans les rues et sur les canaux passaient masques et crinolines.
Sur les places naissaient des orchestres.
Le long des escaliers, des rondes de pierrots, d'arlequines, de dominos et
de colombines ruisselaient comme l'eau des fontaines.
Le luthier, seul dans sa boutique, regardait la ville en délire et disait :
« Parmi ces gens, qui sera donc celui ou celle
qui saura faire chanter mon violoncelle ? »

Un zovene artista, mascarà, imparucà ...

Au beau milieu du carnaval, entra chez lui un jeune artiste poudré,
masqué, emperruqué, couvert de rubans et de dentelles.
Bien que ses yeux fussent cachés et son visage maquillé,
on ne pouvait que le reconnaître, tant était grande sa renommée.
De belles femmes l'accompagnaient, ainsi que de nombreux amis.
Et tout ce monde dans l'atelier loua le travail du luthier.

... el se ga fato portar un archeto,

L'artiste se fit apporter un archet et caressa les instruments.
Il voulut prendre le violoncelle, mais le luthier lui dit alors que celui-ci
était magique et d'une essence inusitée.
Il n'en sortirait de musique que sous les doigts les plus agiles
mus par un cœur talentueux.
Le jeune homme fut offensé.
Il s'empara du violoncelle et voulut jouer une mélodie.
Mais l'instrument était rebelle. Il ne produisait que des sons gémissants,
tourmentés, brutaux, et grinçants.

Le musicien persévéra, mais tous ses amis se lassèrent.
Les belles dames s'en allèrent …
Le luthier quitta la boutique et gagna son appartement.

Dal so legno sbrissava via dei soni da pianzer

L'artiste arracha sa perruque.
Il essuya son maquillage et retira masque et dentelles.
Alors, dans le silence, l'inquiétude, la douleur et la solitude,
oubliant son nom et sa fatigue,
l'homme affronta le violoncelle.

L'artista se ga strapà la parua e la mascara

Au matin, une musique plus ensorcelante que celle
qui avait enchanté les bals et les théâtres de Venise éveilla le vieil artisan.
Il se leva et regarda par la fenêtre dans le jardin.
Il aperçut le musicien qui jouait sur son instrument, sans effort, naturellement.
Au bout du manche du violoncelle s'étaient élevées quelques branches.
Elles se balançaient, irréelles, dans la brise surgie du fond de la lagune
et sur elles venaient se poser des kyrielles d'hirondelles, de moineaux et
de tourterelles.

La conception de ce livre est de Frédéric Clément, Architexte en a assuré
la mise en pages, Dung Van Meerbeek, la calligraphie des textes vénitiens.
La photogravure a été exécutée par Photolitho AG à Zurich.
Nous tenons à remercier l'association Logolar Furlan et Sergio Chiarotto
qui nous ont fourni la traduction vénitienne des extraits en exergue.

Pastel

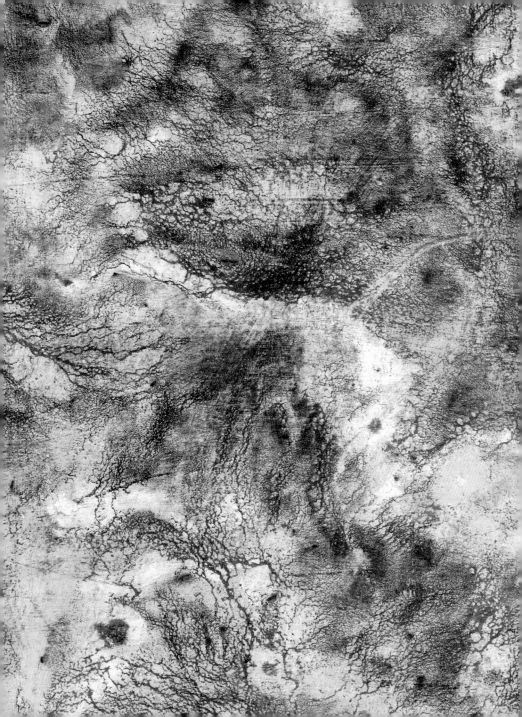